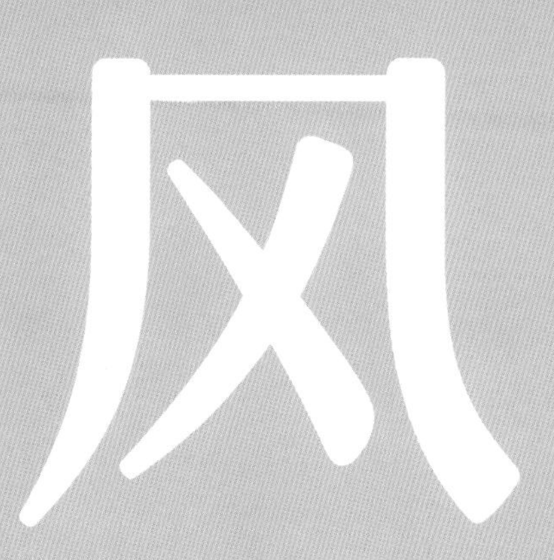

[英]哈里亚特·布朗多/文　[英]马特·朗比洛/图　王珏/译

南京师范大学出版社
NANJING NORMAL UNIVERSITY PRESS

天气
变变变

目录

第4页 风
第6页 风是怎么来的?
第8页 暴风
第10页 风和季节
第14页 大风天穿什么?
第16页 植物
第18页 动物
第20页 危险的风
第22页 你知道吗?
第24页 词语表 · 索引

粗体字请参见
第24页词语表

风

风是地球上四处流动的空气。

风有的时候轻柔，有的时候强劲。
强劲的大风
轻柔的
微风

风是怎么来的？

地球上有的地方温暖，有的地方因为日照不足而非常寒冷。

寒冷地带

炎热地带

炎热地带的暖空气会向上升，腾出来的地方会吸引寒冷地带的冷空气移过来，这就形成了风。

暴风

暴风是特别猛烈的风，刮暴风的时候很少下雨。

暴风雨到来的时候，会又刮大风，又下大雨。

风和季节

一年有春、夏、秋、冬四个季节。

秋天和冬天的天气比较冷，是刮风最多的季节。

春天和夏天也经常会刮风。

在炎热的夏季，风能给我们送来清凉。

大风天穿什么？

冬天刮风会让我们感觉特别冷，所以要穿上棉衣保暖。

大风天戴帽子要小心哦，因为大风会把帽子刮跑！

植物

风可能会对植物造成破坏——不但会吹落树叶和花朵，甚至还会刮断树枝！

花

种子

风也能为植物提供帮助。风把植物的种子吹走，种子就会找到新的地方生根发芽，长成新的植物。

动物

刮风的天气会让动物们的听觉受到影响。

鸟儿会利用风滑翔。滑翔的时候，鸟儿不需要频繁地扇动翅膀，可以节省很多体力。

危险的风

有些风非常危险。比如飓风，它的速度非常快，会带来暴雨。

龙卷风远看像个漏斗，破坏力特别大。

你知道吗？

有些人会利用风驾驶帆船进行环球航行，最快的一次只用了42*天。

人们用单位“节”来表示风的速度。

*注：原书为57天，是法国航海家茹瓦永2008年创下的纪录。2017年12月，法国航海家格尔巴尔已将这一纪录刷新为42天。

地球上有些地方风的速度比赛车跑起来还快！

词语表

暴风雨：又大又急的风雨。

滑翔：利用空气的浮力在空中飘行。

龙卷风：风力特别强的旋风，形状像从云中垂下的大漏斗。

环球航行：乘船环绕地球一周。

索引

空气：4，7。

冷：6，7，11，14。

季节：10，11。

温暖：6。